千里走單騎

導讀文字：金　朝

繪　圖：李成立

萬里機構・萬里書店出版

編輯：莊澤義．王淑萍
書名題簽：黃　天

②「古書今讀」之《漫畫三國演義》系列
千里走單騎

導讀文字
金　朝

繪　圖
李成立

出版者
萬里機構．萬里書店
香港九龍土瓜灣馬坑涌道5B-5F地下1號
電話：25647511
網址：http://www.wanlibk.com
電郵地址：wanlibk@enmpc.org.hk

發行者
萬里機構營業部
香港九龍土瓜灣馬坑涌道5B-5F地下1號
電話：25623879　　傳真：25909385

承印者
美雅印刷製本有限公司

出版日期
一九九五年七月第一次印刷
一九九九年八月第五次印刷

ISBN 962-14-0941-1

古書今讀叢書

我們的國家，有著數千年的文明。這數千年的文明，用各種各樣的方式記載下來，我們在神州大地上遊覽，為甚麼腳步不時會不由自主地再三猶疑，不忍遽然離去？那就是因為，中華民族的數千年文明以各種面貌出現在我們的跟前，或者是肅立的一個亭子，或者是既流動又凝固了的書法，或者是一彎雖然已經老去卻仍在努力的小橋，甚至，那不過是一塊不起眼的殘片，只是，對我們來說，這已經足夠。

我們當然不會忽略書籍這樣的一種載體。能夠一直流傳下來的老書，就是古書了。古書，我們不會嫌多；事實上，流傳下來的古書也是不多的。這事情裏面，有著一種必然，那是大浪淘沙的必然。大浪，沒有把一切都淘空淘盡，而且讓我們曉得了，甚麼是值得好好珍惜的寶貝。

文明與智慧同在，文明也與寬容同在。時間的流灑，是一種滋潤，使我們的寶貝愈發有著動人的光澤，愈是親炙這樣的寶貝，我們便愈是容光煥發。「古書今讀叢書」出版的目的，便是希望藉著這套叢書的出版，使更多的讀者能親炙這樣的寶貝，得到不同程度的潤澤。由於種種原因，今人讀古書，會有這樣那樣的困難，成為一種阻隔，所以我們以導讀文字輔以漫畫的方法，構築成一彎「拱橋」，讓讀者能愜意地走過去，只要一伸手，就可以觸及那光澤。毫無疑問地，構築這樣的一道「拱橋」，是一項大工程。我們不希望曲解古書，也不要隨意或任意的所謂闡釋，但與此同時，又要於讀者有用，因為這樣，工夫就多了。工夫雖然多，我們樂於這樣去做，同時深願讀者也樂於見到這套叢書的出版，甚麼時候，也為這「拱橋」鼓鼓掌。

出版説明

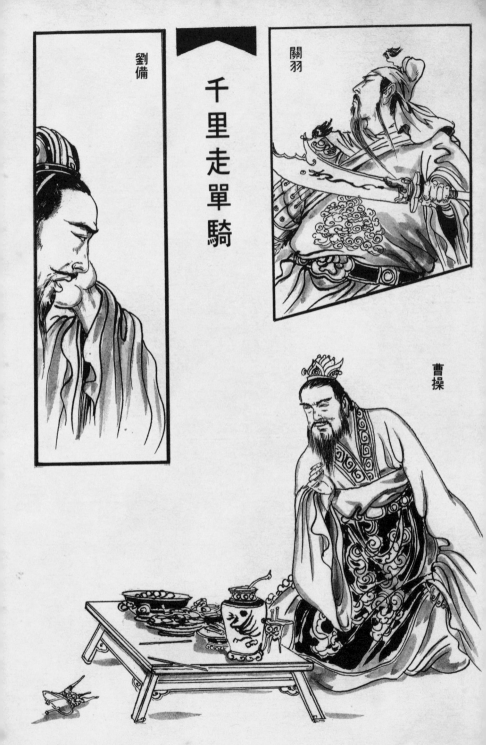

劉備

千里走單騎

關羽

曹操

袁紹
顔良
陶謙
孫策

3

《三國演義》主要人物

名、字、號簡表

名	字	號，以及書中對他的其他稱呼
劉備	玄德	劉皇叔、劉豫州、先主
關羽	雲長	美髯公、漢壽侯
張飛	翼德	
董卓	仲穎	董太師
呂布	奉先	呂溫侯
曹操 (小名：阿瞞)	孟德	老瞞、曹老瞞
孫策	伯符	小霸王
孫權	仲謀	碧眼兒
徐庶	元直	
諸葛亮	孔明	伏龍、臥龍先生、武鄉侯
趙雲	子龍	
魯肅	子敬	
周瑜	公瑾	周郎、周都督
黃蓋	公覆	
龐統	士元	鳳雛先生
張遼	文遠	
魏延	文長	
黃忠	漢升	
馬超	孟起	
楊修	德祖	
司馬懿	仲達	
龐德	令明	
呂蒙	子明	
陸遜	伯言	
曹丕	子桓	
姜維	伯約	
劉禪	小字阿斗，公嗣	後主
廖化	元儉	
鍾會	士季	鍾司徒
鄧艾	士載	

目　次

一

劉備救徐州

作戰如同下棋，起碼要走一步看兩着，如果只看眼前這一步，而不考慮後面怎麼走是非敗不可的。多看兩着，不僅能藉有利的勢取得成功，還有可能抓住機會，扭轉劣勢成優勢，創造成功的機會。

曹操因爲得勢而失勢

曹操在山東得勢，逐派遣泰山太守應劭把父親一家接來享福。曹嵩等一行路經徐州，徐州太守陶謙慕曹操之名出迎，後來又派手下差都尉張闓護送上路，想不到張闓是黃巾餘黨，見曹操在山東大破黃巾軍，思考自己的前途，起殺機，趁晚上動手，殺了曹嵩一家，盡搶其財物，然後逃去。

曹操得知噩耗，大爲悲慟的同時，並遷怒陶謙，身披素服，帶領大隊兵馬，直奔徐州，沿途殺戮老百姓。其間，不少人對曹操提出勸告，但曹操一概聽不入耳。

當日曹操殺董卓事敗而逃走，曾得中牟縣的縣令陳宮相助，陳宮並追隨曹操上路，在路上，曹操於父親叔伯兄弟呂伯奢家裏度宿一宵，得到熱情款待，卻因爲曹操疑心大，盡殺呂伯奢一家，「寧教我負天下人，莫教天下人負我」，陳宮經此一役，認識曹操爲人，趁機離去。

這次，對曹操提出勸告的人，也包括了陳宮。

陳宮希望曹操能念着昔日相助之情，聽他一言改變屠城的主意，可是，曹操卻同時記着陳宮曾捨他而去，懷恨在心，使陳宮無功而退。

曹操殺呂伯奢一家，絲毫沒有悔意，到了他的父親一家被殺，便要屠城，盡殺無辜百姓。無疑，他是在山東得勢，令天下不少英雄投靠他，可是，這一個勢，也是助就了他，使他下了那末一個錯誤的決定。許多人向他提出勸告，他聽不入耳，拒人於門外，這便是說，他是自我削勢。「水能載舟，亦能覆舟①」，勢頭與水的功能也是接近的。

另一方面，有「仁人君子」之稱的陶謙雖然大大處於劣勢，卻得到不少人的義助，除了上面說的陳宮之外，還包括了麋竺、陳元龍、孔融、太史慈、劉備、公孫瓚、趙子龍等，漸漸地，他們也滙成了另一股勢，以劉備爲「勢頭」。實質上，這股勢是由曹操促成的。

劉備反袁紹之道而行

劉備應孔融之邀，救徐州，但他向孔融表明，要先向公孫瓚借兵三五千。孔融請他不要失信。劉備借古人之言：「自古皆有死，人無信不立」，向孔融表白心跡。

劉備願意那樣做，一方面是因爲北海太守孔融甚得民心，另方面是徐州太守陶謙也素來爲人所稱道。當

①水能載舟，亦能覆舟：水能載船，也能使船翻沉。比喻同一樣東西，可能使我們得益，也可能使我們受害。

9

日，曹操組盟軍討伐董卓，推舉袁紹為盟主，在盟軍裏，劉備也曾與曹操共事，同一陣線。後來盟軍自我瓦解，劉備與曹操對抗，這是第一次。

公孫瓚也向前來借兵的劉備陳以利害，劉備答以「備已許人，不敢失信」，結果借得趙子龍及兵馬二千。

總的來說，劉備兵馬不多，卻有良將。兵馬不多，有時會使敵方產生輕視之意，如劉備在救徐州之前，曾先戰圍困孔融的黃巾軍，對方由管亥率領，達數萬人。管亥見劉備兵微將寡，掉以輕心，很快便在陣上給關雲長的青龍刀劈於馬下。兵馬少，能迷惑敵人，在這個情況下，如有良將，事情便好辦了。劉備原意向公孫瓚借兵三五千，卻只得二千，有了差距，但得到趙子龍，也足可以彌補所失了。

劉備救徐州，徐州太守陶謙索性取出徐州牌印，讓給劉備，劉備堅決不要。這種做法，與袁紹乘冀州之危，藉着韓馥向他請救兵，乘勢反客為主，得佔冀州的行為，確是不可同日而語。也許，袁紹「鵲巢鳩佔②」在前，劉備更加警覺。還有，劉備所處的一個勢，是大家都要義助陶謙，「義」字當頭，劉備也是不容易逆勢而行的。

我們常常說借勢，然而，借勢要成功，第一是要有那一股勢，第二是要順勢，順勢而對自己有利，才算得上是奏效的。不管劉備心裏的真正想法是甚麼，他堅決

不接徐州的牌印，客觀上，是順了那一股勢的。

曹操輕視劉備錯解信

劉備爲解徐州之困，寫了一封信給曹操，希望曹操能退兵，那便可以避免一場斯殺。在這封信裏，他一方面指出了曹操之父曹嵩一家被殺與徐州太守陶謙無關這個事實，另一方面則陳以大義，希望曹操「先朝廷之急」，「以救國難」。

劉備這封信本來是寫得不錯的，卻不僅不能收效，還起了反作用，第一，曹操認爲劉備不夠資格寫信勸他。昔日在盟軍裏，曹操一手捧出袁紹當盟主，地位明顯地比劉備高，這時他在山東蓄了強勢，自然更看不起劉備了；第二，曹操認爲劉備信裏語帶譏諷。第二條其實受第一條的影響，心裏不舒服，特別敏感，往往使判斷有偏差。

曹操把一封本來寫得不錯的信讀歪了，那自然是有問題的，但他覺察不到，還在這末一個基礎上，作出「斬來使，一面竭力攻城」這樣的指令。回過頭來看，劉備那封信沒有針對曹操的地位和心態，使那封信起了反作用，也是暴露出他的考慮不周。

後來，曹操的謀士郭嘉卻勸曹操，「主公當用好言答之，以慢備心；然後進兵攻城，城可破也。」既然最

終的目的是攻破徐州，如果斬劉備來使，便是及早把攻城這訊息讓劉備知曉，對曹操一點兒好處也沒有；反之，如果使劉備產生輕慢的心理，放鬆戒備，要攻破徐州便容易得多了。

這裏告訴我們，凡事都要跟最終目的聯繫起來看，也聯繫起來作部署、作修正，如果忘記了最終目的，或聯繫不緊密，都很可能會出這樣那樣的問題。

曹操聽從了謀士的意見。接着，他得知呂布「襲破兗州」，怕無家可歸，便急急退兵，同時聽取郭嘉的意見，把退兵作為賣給劉備的人情，一石二鳥。每走一步，都起碼得有後着。

不久，董卓部將李傕、郭汜等進犯長安。

他們擊敗了呂布，殺了王允，把持了朝政。

報！山東黃巾軍復起！

怎麼辦？

東郡太守曹操兵力很強，可派他進勦。

好！

這是朝中大臣朱雋。

13

曹操奉命出兵，把山東黃巾軍打得大敗。

曹操坐鎮兗州，招賢納士，擴充實力。

謀士荀彧、荀攸、程昱、郭嘉相互引薦，前來輔佐曹操。

願追隨將軍。

典韋、于禁兩員大將也投奔曹操。

他把整編後的降兵，組成一支精銳的「青州軍」。

陶謙放縱部下，殺我父親，我與他誓不兩立！

曹操父親曹嵩在來兗州途中被徐州太守陶謙部將張闓殺害。

他率領大軍，殺奔徐州。

陶謙敗回城內，與糜竺商議。

徐州危在旦夕，怎麼辦？

去向北海太守孔融、青州太守田楷求援，援兵一到，曹操便會退兵。

15

好!你去北海，陳登去青州，我帶人堅守!

孔融營中。

徐州危急，請太守發兵救援。

曹操兵多將廣，很難對抗。劉備是當世英雄，可請他同去救援。

好!我馬上去平原!

好的，我去公孫瓚處借些人馬，即刻出發。

徐州危急，孔太守請劉英雄同去救援。

第二天，劉備向公孫瓚借了趙雲和二千人馬，加上自己三千人馬，向徐州進發。

關羽、趙雲留下協助兩位太守。我帶張飛，殺奔曹營，進城和陶太守會合。

好！

劉備在徐州和孔融、田楷兩支隊伍會合。

曹營大將于禁攔住廝殺。

張飛迎劉備進城內。
陶謙把劉備

劉備是個英雄，我年老無能，不如把徐州讓給他。

糜竺，把徐州大印取來！

是！

18

我年紀大了，願把徐州讓於英雄。

這不行，我不能受。

好！就這樣辦。

我先寫信勸曹操退兵。他若不肯，再和他交戰。

現在兵臨城下，先商議怎樣退敵。等退敵後再行相讓。

劉備是甚麼東西，竟敢寫信來勸我！來人，把使者推出斬首！

主公不如先寫信回覆，使劉備毫無戒備，然後攻城⋯⋯

好！就這樣辦！

郭嘉為曹操出謀劃策。

報！呂布攻佔兗州！

兗州若失，我就無家可歸了！得趕快回軍挽救！

主公正好賣個人情給劉備，退兵去收復兗州。

陶謙設宴款待孔融、田楷、關羽、趙雲。

曹操寫了封回信交給使者，拔寨退兵。

我老了，將軍德高才廣，請收下這徐州大印吧！

劉將軍，
陶太守一
片真心，
你正好借
此創立功
業，不必
推辭。

我為
大義來救
徐州，如
取徐州，
豈不被
天下人
唾罵！

陶太守
年老多病，
無力管理
州事，
劉將軍還
是接受了
吧！

不！
我不能
接受！

22

袁術名望很好，又近在壽春，爲甚麼不讓給他呢？

袁術這種人，不值一提！今天的事，你如果不答應，將來會後悔的！

劉將軍，你如能留在徐州，我感激不盡！

人家好心相讓，哥哥何必苦苦推辭呢？

陶公一片誠意，哥哥就同意了吧！

那請你暫駐小沛，幫助保衛徐州如何？

陶謙又再三相讓，但劉備堅決不受。

好吧！我答應！

24

孔融、田楷告辭離去。

劉備和趙雲揮淚相別。

子龍，後會有期。

劉備帶着關、張來到小沛駐守，出榜安民。

25

二

濮陽大戰

智慧從戰爭中得鍛煉

　　要想取勝，就要開動腦筋，力爭判斷準確，不致爲表面現象所迷惑。在處理事情，作出決策時，要撇開個人私欲，切記不能感情用事，才能避免或減少失誤。

爲取勝不惜臉上抹黑

　　呂布乘曹操東征，一舉攻佔了曹操位於山東的老家兗州與濮陽，曹操立即回兵，要奪回所失。呂布增兵兗州，自己留在濮陽。曹操的對策是，派兵圍兗州，自己進軍濮陽，在他的心目中，呂布是有勇無謀之輩，不難對付，一旦解決了呂布，兗州也便手到拿來了。

　　呂布身邊有謀士陳宮，獻計呂布，令濮陽巨富田氏密書曹操，言「呂溫候殘暴不仁，民心大怨；今欲移兵黎陽，止有高順在城內，可連夜進兵，我爲內應。」

　　黎陽是濮陽的近鄰，高順則是呂布手下的一名將領，曾與曹操交戰，陳宮此計，深思熟慮，第一，密書上寫呂布「殘暴不仁」，是接近事實，由田氏來寫，更有信服力，因爲呂布必覬覦田氏家財而不顧甚麼仁義道德（後來呂布落難，田氏果然反呂布，令呂布不得其門而入）；第二，呂布急欲挫敗曹操，只要於此有利，便不惜「塗污」自己的臉孔，不會怪罪陳宮；第三，黎陽在濮陽鄰近，呂布可隨時回防，這一點，能釋去曹操心裏的疑慮。

　　呂布果然接納了陳宮之計，曹操也果然親自領兵，按田氏指示之入口進入濮陽中了呂布的埋伏。

　　後來，曹操幾經廝殺，復得猛將典韋與夏侯淵的救助，才得以脫身，但曹操的「手臂鬚髮，盡被燒傷」，卻沒有傷及元氣。

　　這裏所指的，是沒有傷及曹操本人的元氣。這樣，曹操才能及時組織反擊，扭轉了局勢。

　　曹操自組織義軍，推舉袁紹為義軍的首領開始，經過了一番經歷，對他是大有好處的。好處之一，是增加了自己的韌性，不輕言低頭，不輕言放棄。經過了鍛煉的人，在客觀上也看到了，事情往往有轉折，如瀑布就是明顯的例子，山窮水盡處，水流積蓄了之後，一瀉而下，氣勢磅礡，有另一種景象。看到了這一點，加強了信心，也加強了自己的韌性。欠缺了這種鍛煉的人，很難蓄勢，很難做成大事。

福兮禍兮①驕兵轉受困

　　曹操正是借着自己的「手臂鬚髮，盡被燒傷」這個勢而反擊的。他說道：「今只將計就計：詐言我被火傷，已經身死。布必引兵來攻。我伏兵於馬陸山中，候其兵半渡而擊之，布可擒矣。」

　　曹操被火傷，是處於劣勢。他宣稱自己因被火傷而

身死，是要盡可能擴大自己的劣勢。這樣做，有什麼好處呢？我們要知道，事情常常有兩方面，一方處於劣勢，另一方便處於優勢；一方的劣勢愈大，另一方的優勢也愈大。在這個例子裏，曹操便是要增大呂布的優勢，使他成為驕兵。同時，曹操也借了地理條件的勢，使驕兵受困，進而擒之。

中國古訓：「福兮禍所伏，禍兮福所倚②。」這裏面，深有哲理。這是要我們正確對待禍福。另一句話：「福無重至，禍不單行。」與此是相輔相成的。一般人都是這樣，以怠慢之心來對待福氣，使福氣無以為繼；又以消極的態度來面對禍事，使禍不單行。福與禍，禍與福，只繫於一個轉折而已。

呂布剛剛殺敗曹操，卻又立即為曹操所敗，損兵折將，好不容易才得以脫身，回到濮陽，堅守不出。

擺脫私慾及時作調整

接下來還有一事，就是徐州太守陶謙病歿，劉備迫不得已，接下牌印。曹操認為，自己父親曹嵩一家是被陶謙所害的，父仇未報（曹操攻徐州時，因兗州陷於呂布手而退兵），徐州又被劉備輕易得到，故此要再發兵徐州，殺劉備，戮陶謙屍。在種種感情因素交纏下，曹操兵行錯着③。

曹操謀臣荀彧諫道，昔日漢高祖、漢光武均重視深根固本，以正天下。進足以勝敵，退足以堅守，故雖有困，終成大業。此其一。徐州軍民已服劉備，必助劉備死守，曹操不易得。此其二。曹操棄兗州而取徐州，是棄大而就小，去本而求末，以安而易危，非明智之舉。在荀彧力陳利害之下，曹操終於改變初衷。

每一個人都會有決策錯誤的時候，重要的是能不能及時調整。能夠擺脫個人私慾，擺脫感情因素的糾纏，客觀地作判斷，許多時候都是十分重要的。

②福兮禍所伏，禍兮福所倚：原話出自《老子》，指禍福會相互轉化的。

③兵行錯着：指揮軍隊犯了一個錯失。

31

呂布英勇無敵，克州、濮陽失守。

曹操回兵，半路遇到曹仁。

呂布有勇無謀，不必怕他。

薛蘭、李封，你倆領兵一萬，堅守克州，我率大軍駐守濮陽，互為救應。

曹操回兵的消息傳到克州呂營。

薛蘭肯定守不住克州。可派精兵埋伏在泰山要道兩側，突然襲擊，活捉曹操。

我駐守濮陽，另有妙計。

陳宮爲呂布的謀士。

我單人匹馬可以縱橫天下，怕甚麼曹操，等他紮下營，再去擒他不晚。

曹兵遠道而來，十分疲乏，馬上突襲，定可獲勝！

呂布率大軍來到濮陽。

泰山要道。

主公，山路險峻，恐有埋伏。

呂布沒有謀略，這裏哪來伏兵，大膽前進。

過了泰山要道，曹操命曹仁領兵圍住兗州，自己率大軍直奔濮陽。

第二天，雙方列陣交戰。

漢室的城池，大家有份，怎麼是你的呢？

我與你無冤無仇，何故奪我城池？

呂布大將臧霸與曹操手下樂進戰三十回合，不分勝負。

35

夏侯惇拍馬助戰，張遼迎住厮殺。

呂布揮戟衝出，殺向曹軍。

曹軍敗退四十里。

36

西寨是戰略要地，要防備曹操派兵偷襲。

曹操很會用兵，應防他攻我不備。

他今天輸了一仗，怎敢來劫寨？

呂布派高順、魏續、侯成三將，領兵增援西寨。

呂布已有防備，曹軍又大敗。

好計！

曹操連敗兩陣，悶悶不樂。

這時，濮陽富戶田氏派人送來密信。

曹操重賞來使。

不知是計。

天助我收復濮陽。

半夜，曹操率軍來到濮陽城下。

夏侯惇、曹洪，你倆各領一支人馬，在城外接應。

是！

呂布無謀，陳宮卻詭計多端，恐怕有詐，不可不防。

有理。

夏侯淵、李典、樂進、典韋，你們隨我領兵進城！

主公不要冒險進城。

不行！我不身先士卒，誰肯向前！

不一會，城上響起暗號。

衝呵！

不好！中計了！趕快退兵！

不要放走曹操！

張遼、臧霸東西兩面夾攻。

南門有高順、侯成迎擊。

曹操，你逃不了啦！

曹操，你往哪裏逃！

北門有郝萌、曹性把關。

典韋保護曹操，迎住兩將廝殺。

41

混戰中，曹操和典韋失散，曹操獨奔北門，尋路出城。

糟了！怎麼辦？冒險衝過去！

快說！看到曹操沒有？

前面那個騎黃馬的就是！

胡亂一指。

42

呂布縱馬追去。

曹操趕快撥馬向東門逃去。

將近東門，碰到正在找他的典韋。

主公，快跟我衝出去！

典韋保護曹操，殺到東門。

典韋回馬來救，夏侯淵也恰巧趕到。救曹操出城。

一根火椽落下，砸倒了曹操的坐騎。

他估計呂布會率軍進攻，在馬陵山設下埋伏。

他設計全軍穿上孝衣，宣揚自己傷重身亡。

曹操回營，眾將都來問安。

我誤中奸計，定要報仇！

44

哈哈！曹操已死，我去殺他個片甲不留！

啊！曹操！我中計了！

衝啊！殺啊！

不久雙方因蝗災缺糧而罷戰，曹操退兵回到鄄城。

這時，徐州太守陶謙病死，把徐州讓給了劉備。

劉備不費一刀一槍就得了徐州，真氣死人！我立刻去討伐他，奪取徐州。

主公，你不設法奪回兗州，而去攻打徐州，萬一呂布乘虛而來，怎麼辦？

黃巾餘部佔據的汝南、穎川糧很多……

依你之見呢？

46

曹操攻佔了汝南、穎川。

許褚歸附曹操。

曹操兵精糧足，一舉收復兗州。

命典韋、許褚為先鋒，殺奔濮陽。

高順、張遼等在外催糧，等他們回來再出戰。

報！曹操大軍殺來！

呂布營中。

濮陽富戶田氏獻城投降，呂布逃往定陶

呂布不聽，出城迎戰，大敗。

曹操乘勝率軍追擊。

呂布兵敗，到徐州投了劉備。

從此，山東一帶，全歸曹操所有。

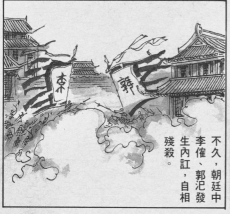

不久，朝廷中李傕、郭汜發生內訌，自相殘殺。

漢獻帝召曹操率軍前來保駕。

李傕、郭汜
兵敗，逃回
西涼。

曹操以洛陽缺糧
爲由，挾持
獻帝，遷都
許都。

從此，曹操挾
天子以令諸侯，
把持了朝廷大權。

50

三

張飛醉酒失徐州

在得失與起伏之中自持

　　人的得得失失，有時難以預料。在起伏跌宕之中，最難於自我把持住。若能着眼於大目標，不被某種外力所左右，很是難能可貴。不然，就會失去心中的大目標，便會沉淪了。

因人因勢設計易成功

　　曹操脅持漢獻帝之後，要號令天下諸侯。他看到劉備得徐州，又有呂布投靠，恐怕會成為心腹之患，便要設法加以對付。曹操謀臣先後獻以「二虎競食之計」和「驅虎吞狼之計」，希望坐收漁人之利。

　　所謂「二虎競食之計」，是曹操借獻帝的名義，下詔書，正式任命劉備掌管徐州，但同時要劉備殺呂布，「事成則備無猛士為輔，亦漸可圖；事不成，則呂布必殺備矣」。不過，這位叫荀彧的謀臣，他的這個「如意算盤」未免是一廂情願，或者說，他的這個「二虎競食之計」，有生搬硬套之嫌。即使根據呂布的性格，「事不成，則呂布必殺備」是有此可能，但呂布不一定能對付得了關雲長和張飛；另一方面，劉備不會為了一己的利益而殺呂布。後來，劉備果然對曹操施以緩兵之計。

　　另一個「驅虎吞狼之計」，是要挑起劉備跟袁術的不和，暗中造謠生事，使袁術以為劉備要吞佔他的地方，從而先發制人，進攻劉備，曹操隨即明令劉備討伐袁

術。兩虎相爭，有機可乘，呂布不安於位，便會起異心。

後計比前計高明之處，第一，是袁術的江湖地位本來比劉備高出很多，不滿劉備坐擁徐州；第二，劉備不會在無可選擇的情況下不從君命；第三，呂布本來就蠢蠢欲動。這個計策，可說是因人而施，便容易生效了。

這也讓我們看到，一個人冒升得太快，往往不是好事。在此之前，劉備寫信給曹操，對曹操陳以利害，要他不要攻打徐州，已經犯了大忌，反而使曹操有加速行動之心。袁術則信了謠言，這樣罵劉備：「汝乃織蓆編屨①之夫，今輒佔據大郡，與諸侯同列；吾正欲伐汝，汝卻反欲圖我！深為可恨！」

醉酒失徐州得不償失

劉備出兵，要在關雲長與張飛二人之中，選一人留守徐州。他要日夕與關雲長議事，故關雲長不能留下，卻又害怕張飛酒醉誤事，所以叮囑陳元龍輔助張飛——這並非妙着，或者是劉備估計不足，或者身邊再無比陳元龍更合適的人選。無論如何，這一着是暗藏了敗筆的。

張飛果然醉酒鬧事，而陳元龍也鎮他不住。一天，張飛請眾官喝酒，按他的說法，是「眾官今日盡此一

醉，明日都各戒酒，幫我守城——今日卻都要滿飲」。張飛不僅自己飲，還要眾官相陪，才得痛快。他沒想到的是，一旦「今日盡此一醉」，明日最清醒，也可能後悔莫及了。他是估計不足，在醉酒之前亦估計不足。接下來，他在有了酒意的情況下勸酒，其中，曹豹不願再喝，請張飛念着他是呂布之丈人，不要再迫他，豈料張飛素來不喜呂布之為人，也不喜劉備護着呂布，便藉着酒意，痛打曹豹，還說打曹豹如打呂布。

雖說是喝醉了酒，但張飛畢竟是較為膚淺，不僅成不了大事，還誤了大事。曹豹含恨在心，把此事告之暫居於徐州近鄰小沛的呂布。呂布的謀臣陳宮說，此乃奪取徐州的可乘之機。呂布連夜帶軍掩至，作為內應的曹豹大開方便之門，呂布兵不血刃便攻進徐州，張飛在半醉半醒之間，連忙逃走，也顧不了劉備的家眷了。

張飛就這樣輕易把徐州送給了呂布，但呂布對劉備存有顧忌之心，所以留有餘地，不傷害劉備的家眷，以便他日有需要時，可與劉備討價還價。

那一邊，袁術知呂布得了徐州，連忙請呂布助他夾攻劉備，並許以重酬，呂布依言，但劉備已及時撤兵，袁術也沒有把重酬給予呂布。呂布要攻袁術，被陳宮勸止，並建議他與劉備修好，讓劉備屯兵小沛，他日時機成熟，再令劉備為先鋒，攻打袁術與袁紹兄弟。

劉備終於屯兵小沛，也得回家眷。這下子，他與呂

布易地而處。關雲長、張飛均沉不住氣，劉備說：「屈身守分，以待天時，不可與命爭也。」劉備不深責張飛在先，更能經得住委屈，守在小沛，看得比關、張長遠。

人的得得失失，有時難以預料。在起起伏伏之中，最難是自我把持得住，不會失去心裏的目標，否則便會沉淪了。

荀彧獻上一條「兩虎競食」之計。

可派使者正式封劉備爲徐州太守，再給他一封密信，叫他殺了呂布。

曹操得知呂布投了劉備，怕他們聯合進犯許都。

好計！

劉備接詔

呂布一向不議信義，殺掉他！

劉備連夜和關羽、張飛等一起商議。

他窮途末路來投奔我，我如殺他，太不仁義了！

56

張飛衝進來
要殺呂布

第二天。

聽說朝廷下了詔書，特來道賀。

你為甚麼要殺我？

曹操說你是個無義的小人，叫我哥哥殺你！

這是曹操的奸計，想讓你我火拼。

劉備斥退張飛。

我也這樣認為。

哥哥為甚麼不肯除掉呂布？

曹操想坐收漁利，我們不能上當。

多謝，告辭了。

你放心，我不會中他奸計的。

不管曹操使甚麼計，我非殺掉呂布不可！

哥哥說得是！

不要緊，我還有一條「驅虎吞狼」之計。

使者把劉備不肯殺呂布的事說給曹操聽。

58

曹操派使者傳令劉備去征討袁術。

讓劉備去征討袁術，呂布一定會算計劉備……

明知他在用計，但有皇帝的詔命，怎能違抗？

又是曹操的奸計！

誰留守徐州？

小弟願意留守。

我常要和你商量事情，不行！

59

你不行。一來你好醉酒，二來作事冒失，不聽別人勸告，我不放心。

我來留守！

我跟隨哥哥多年，從不失信，你竟敢看輕我！

只怕張將軍說易做難。

我從今不喝酒，不打人，行了吧？

好吧！陳登，你協助我三弟留守。

是！

劉備安排好後，便率軍征討袁術去了。

劉備走後，張飛把雜務都交給陳登處理，自己只管軍務。

唔！幾天不喝酒，酒癮來了！

男子漢大丈夫，哪有不會喝酒的，乾！

對不起，我不會喝。

張飛逐個斟酒，來到曹豹面前。

今天大家喝個痛快，明日起一律戒酒……

61

曹豹懼怕張飛，只得喝了一杯。

張飛連飲幾十杯，大醉。

你剛才還喝過，現在爲甚麼不喝？

喝！

張將軍，我實在不能再喝了。

張飛再次逐個斟酒，又來到曹豹面前。

不管張飛怎樣說，曹豹不肯再乾！

好啊！你違抗將令，來人，捆打一百！

你是文官，別管我的事！

陳登相勸。

你是呂布的丈人，我更要打！打你就是打呂布。

看在我的女婿呂布的面上，饒了我吧！

曹豹懷恨，當天晚上暗約呂布偷襲徐州。

經眾人苦苦相求，才罷了手。

張飛逃出徐州。

63

嫂嫂呢？

陷在城裏了！

哥哥，徐州丟了！

你當初怎麼說的？如今城丟了，嫂嫂也陷在城裏，你……

哥哥，我對不起你呀！

這時，劉備在盱眙和袁術對壘。

我們三人不求同生，但願同死。失了城池和家小，再奪回來，賢弟何必自尋短見？

呂布派高順領兵五萬，進擊劉備。

袁術許給呂布一筆厚禮，要他夾擊劉備。

你回去告訴呂布，等滅了劉備，再送上厚禮。

劉備得息，趕緊從盱眙撤兵，轉攻廣陵。

袁術兵多糧足，不能輕舉妄動。不如把小沛還給劉備，和他一起對付袁術。

袁術不守信義，我出兵打他！

好！
就這樣辦！

劉備在廣陵打了敗仗，正走投無路，便很高興地回到徐州。

呂布送還了劉備的家眷，劉備便前往小沛駐紮。

四

小霸王孫策

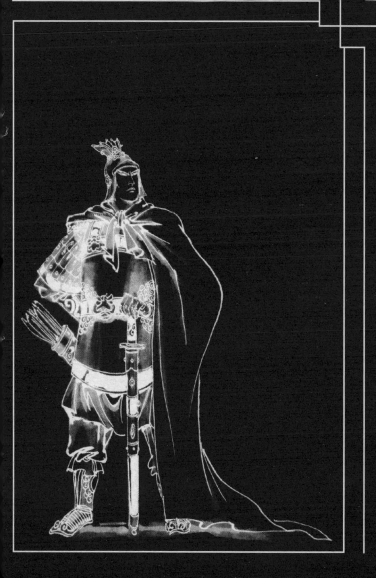

强攻智取與堅守

　　強攻是要冒一定風險的，可能要做出巨大的犧牲。智取則為最上策，可以以少勝多，以弱勝強，巧妙取勝。堅守大多為條件比較艱苦，尤為勢單力薄不利出擊時所採取的策略。

嚴白虎棄卒保帥上當

　　人們常常會碰上轉折的時候，例如新曆新年是一個轉折，農曆新年又是一個轉折。人們也喜歡在這樣的轉折裏釐訂大計。倘若在新曆新年的轉折裏還在猶疑，那末，一瞬間便過去了一個月，到了農曆新年的轉折，便有刻不容緩的感覺了。這個感覺是好的，有利於凝聚我們的積極性，及時奮發。

　　一年之計或其他大計，總離不開攻和守。攻，是進取；守，是力保一些東西。一般的看法，前者是積極的，後者是消極的。其實，事情也未必如此。比方，在《中印邊界之戰歷史眞相》這本書裏，中國下令不先放第一槍，印軍三面包圍中方駐守擇繞橋的一個哨所，首先作出各種各樣的威嚇，但哨所裏的中國士兵堅守不退。後來，印軍打響了第一槍，在勢單力薄、無險可守的惡劣情況下，中國士兵在哨所裏堅守了三天，五人犧牲五人負傷。局部地看，這是一種「困獸之鬥①」，然而，從全局看，那樣堅守卻是出於一種戰略的需要。如果局部

的損失能夠爲全局帶來有利的條件，那種損失便是值得的了。簡單地說，守，倘能給自己創造條件，便也是一種進取了；相反，攻得不適當，卻會給自己帶來敗象。壞的進攻一定不如好的防守，是大有道理的。

幾乎任何時候、任何地方都會上演着攻和守。《三國演義》裏，攻攻守守也接連不斷，給予我們各種各樣的啟發。如孫策攻打「東吳德王」嚴白虎，嚴白虎雖然得到會稽太守王朗的幫助，也難以匹敵，只好躲在城裏，等候孫策因糧盡而退。孫策攻城不下，便接納部屬孫靜的意見，佯攻離會稽數十里的查瀆。原來，孫靜查得，會稽的錢糧大半屯積於查瀆。孫策那樣做，便逼使嚴白虎等陷入一個「棄卒保帥[2]」之局：會稽是卒，查瀆是帥。嚴白虎等若眞的「棄卒保帥」，那末，會稽不攻自破，孫策有機可乘；如果嚴白虎、王朗還是堅守不出，那末，查瀆落入孫策手中，所得也不少。結果，嚴白虎等棄城而出，在路上中了孫策的埋伏。於是，孫策既得會稽，又取查瀆，還擊潰了嚴白虎與王朗，這些加起來，便是一次大捷。

曹操身先士卒[3]振軍威

曹操以十七萬大軍打袁術，是另一次攻防戰。袁術不敵，往後撤，命李豐守住要道上的壽春城。李豐帶領

①困獸之鬥：比喻處於絕境中的掙扎。
②棄卒保帥：比喻犧牲次要的以保存首要的。
③身先士卒：打仗的時候將領走在士兵的前頭。

十萬守軍，堅守不出。

　　曹操的十七萬大軍，相對於李豐的十萬守軍，自是處於強勢。可是，在李豐堅守之下，曹操的大軍便碰上了糧食不足的難題。他向孫策借糧後，命倉官王垕以小斛分給士兵，士兵紛紛表示不滿，戰意成疑。曹操於是殺了王垕，「懸頭高竿」，宣稱王垕偷去官糧，故士兵只得小斛。曹操轉移士兵視線之後，隨即多發糧食，再於翌日親自督師，下令：「如三日內不併力破城，皆斬！」攻城的時候，有兩名將士迴避城上的矢石，立即被曹操斬掉。曹操還親自下馬，加入以泥土填平城坑的行列。於是，軍威大振，很快便攻入了壽春城。《中印邊界之戰歷史眞相》一書，也有類似的描寫，如向印軍反擊的時候，多位班長身先士卒，比方：「九連二班在班長張映鑫的帶領下，連續攻下了印軍四個地堡。在攻擊第五個地堡時，他身負重傷，卻仍向地堡內扔進最後一枚手榴彈，並用雙腿堵住地堡射孔防止印軍反投出來。」

　　進攻，一是智取，一是強攻，還有一種方式是圍而不攻，比耐力，磨蝕守軍的意志。強攻，不勝無歸，要有很強的鬥志，除了軍令如山外，將帥的身先士卒，也很有作用。孫策在戰場上，也常常是軍隊最前面的一個人。

攻與守都要策略正確

　　曹操後來進攻張繡，亦採用智取的辦法。他觀察到城的東南角有破綻，打算在那兒攻城，卻命令士兵在西北角積草，並在那兒集合將士，構成攻城的假象。豈料，他這個「聲東擊西」的如意算盤卻給守城者識破了，一方面是「令精壯之兵，飽食輕裝，盡藏於東南房屋內」，另方面則「教百姓假扮軍士，虛守西北」。曹操以為對方中計，於晚間帶領精兵自東南角入城，豈料中計的正是他自己，張繡的精兵早已在那兒埋伏，四面殺出，使曹操大敗，折兵五萬多人，損失慘重。

　　不管是進攻還是防守，在策略上首先要是正確的，然後，在具體運作的時候，也得知己知彼，精心佈置，恰如其份，才終會達到目的。

死寶貝比不上活寶貝

　　許多人都有綽號。綽號，有的是人家叫起來的，有的則是自己製造出來的——這是為了達到某種目的而自製綽號，如某老牌歌星為了接近年輕歌迷，除了在外形上重新「包裝」外，還炮製了一個較俏皮而予人無拘無束感覺的綽號。綽號，未必盡如人意，但是，最重要的，是不為綽號所困。

綽號為「小霸王」的孫策是一個例子。

孫策是孫堅的兒子。

孫堅曾自動請纓，當袁紹的急先鋒，但戰敗了，鬱鬱不得志，接着，他偶然得到了「傳國玉璽」，便抱着這寶貝不放，要當皇帝，只是由於對情勢估計不足，受到更大的掣肘，後來更戰死沙場。

孫策因為力量不足，無法成大事，便投靠袁紹之弟袁術，卻因為得不到重用，也悶悶不樂，謀士向他建議，設法自袁術處借兵，回老家江東去，再圖大業。可是，怎樣才能順利地向袁術借兵呢？這個時候，孫策想到了父親的遺物——傳國玉璽。他並不像孫堅那樣，死抱着傳國玉璽不放，去發那帝皇夢。

孫策把這帝皇夢讓給袁術——把「傳國玉璽」作為向袁術借兵的抵押品。袁術果然抵受不住帝皇夢的誘惑，遂使孫策成功得到借兵。

以那末一個時代，孫策能不死抱傳國玉璽，勇氣是很大的，也說明了他的眼光比孫堅遠大。此中的得得失失，進進退退，實在不能也不應簡單作衡量。

我們每一個人，幾乎都有自己眼中的寶貝，從廣義上看，這方面是公平的，問題是，怎樣才能善用「寶貝」，使「寶貝」發揮真正的威力、最大的威力，這一點，差異是很大的。差異大，往往不是由於自己的「寶貝」比不上人家的「寶貝」，其關鍵，其差異，還是在於

識見與能力。

有膽識孫策不負盛名

那時候，孫策還沒有得到「小霸王」這個綽號。孫策得到袁術的借兵，回到江東，隨即大展拳腳，要逐步實現他的抱負。在戰場，他一再克敵，連連得勝。一次，他一聲斷喝，把追來的敵將嚇得摔死於馬下，又叫挾於腋下的另一敵將氣絕而亡，轉瞬間連斃兩敵將，聲名大振，「小霸王」這諢名④也是如此得來的。

年輕的孫策並沒有沉醉於「小霸王」的名聲裏。接下來，在另一次攻城的時候，他被敵人的冷箭射中左腿而墜馬，於是，他藉此製造烟幕，稱自己已經陣亡，鬆懈敵人的防備。在「哀兵」往後撤的時候，敵軍出城，大舉進襲，也就這樣而中伏，孫策冷不防帶頭出迎，大呼「孫郎在此」，使敵軍喪膽，紛紛棄械投降。孫策以退為進，又能夠很好地利用了「小霸王」的威名，取得大捷。

我們或者可以說，孫策大放「主將陣亡」的烟幕，這個做法，曹操有例於先，孫策有抄襲之嫌。如果說，「天下文章一大抄」，那末，「天下兵法」也是「一大抄」了。之前，曹操攻進濮陽，中了呂布的埋伏，險死還生，但「手臂鬚髮，盡被燒傷」，他脫險之後，隨即宣稱自己因傷重而死亡，埋下伏兵，殺得引兵而出的呂布大

敗而回。曹操與孫策一先一後，幾乎如出一轍⑤。這裏且不管孫策自己是否介意，但客觀地看，戰場上用兵，最重要的是能屈人之兵，首要的不是發明創造，更切切不要爲了自己而發明創造。這一條，用在其他一些場所，例如生意場，也是合適的。孫策特別注意少殺人。敵軍投降，他下令「休殺一人」；敵軍投降，卻不願歸順，他「給賞歸農」，這樣做，是盡量給自己少設障礙。起碼，在這一個時期，孫策行的是「王道」而並非「霸道⑥」，儘管，他被人家叫做「小霸王」。盛名之下，他有清醒的認識。一身好武功的太史慈也曾與他爲敵，二人打個不分上下，但孫策並不忌諱對方，他想的是怎樣降伏對方，收爲己用，壯大自己的事業。他先是施用計謀，捉住太史慈，然後以上賓之禮款待，交談之下，心中有數，便應對方的要求，放他回去。人家正擔心他「放虎歸山，後患無窮」，太史慈已按他與孫策所約，帶兵投靠。後來，在戰場上，太史慈果然能夠助孫策一臂之力。

　　「小霸王」這綽號有很大的局限性，只是局限不了孫策。

⑤ 如出一轍：如同出自同一車轍，形容事情極爲相似。

⑥ 王道、霸道：儒家主張以仁義治天下，稱爲「王道」；「霸道」與「王道」相對，指國君憑藉威勢、權術、刑法來治理國家。

孫策兵退江南。他把家托舅舅照顧。

袁術幾次派孫策出征，孫策都大勝而回。

兵微將寡，難成氣候，只得依附袁術，被封爲懷義校尉。

唉！假使我有孫策這樣的兒子，死亦無憾了！

唉—

公子為甚麼嘆氣?

這是朱治,原孫堅的舊部。

揚州刺史劉繇佔曲阿,兵攻帶。公子可向袁公借兵,明去救兵,暗圖大業。難。

父親如此英勇,我卻寄人籬下,我……

我手下有百名精兵,願意借給你。

袁術謀士呂範恰好進營。

第二天，孫策
借到了三千人馬。

只怕袁公
不肯借兵。

我把父親
留下的玉璽
作抵押。

孫策帶領朱治、
呂範和程普、
黃蓋、韓當等，
起兵向曲阿進發。

我願
意和兄
長共圖
大事。

途經歷陽，
巧遇拜弟周瑜，
互訴衷情。

77

孫策兵到牛渚，大敗劉繇部將張英，收服降兵四千人。

周瑜推薦了張昭、張紘兩位江南名士，孫策留他們作自己的謀士。

綠林豪傑蔣欽、周泰率領黨羽三百多人前來投効。

一天，孫策帶程普等十二員將領，到嶺上偷看劉繇營寨。

孫策兵進神亭嶺，劉繇領兵駐在嶺南。

報！孫策在嶺上偷看營寨！

這一定是孫策誘敵之計，我們不能追。

這時不捉孫策，還待何時？有膽量的跟我來！

我就是！你是甚麼人？

誰是孫策？

我是東萊太史慈，特來捉你！

兩人大戰五十合，不分勝負。

太史慈詐敗，把孫策引到無人處，又大戰五十合。

這時，劉繇率軍前來接應太史慈；程普等十二人也趕到，兩人放了手，各自歸隊。

我領兵去偷襲曲阿，劉繇腹背受敵，必定潰敗。

好計。

周瑜率軍前來，雙方又混戰一場。

周瑜輕取曲阿。

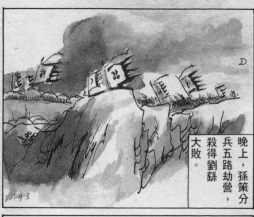

晚上，孫策分兵五路劫營，殺得劉繇大敗。

第二天，劉繇聽到曲阿已失，急忙退兵。

孫策又率軍進攻秣陵，秣陵守將薛禮堅守不戰。

太史慈獨木難支，帶着十幾名騎兵，逃往涇縣。

報！劉繇率兵去奪牛渚！

82

劉繇部將于麋出馬，只三個回合，被孫策活捉。

樊能挺槍來救。

孫策和劉繇對陣。

吓！

樊能落馬身亡。

挟死一將，喝死一將，真是個小霸王！

孫策回陣，扔下于糜，于糜已被挟死。

劉繇兵敗，帶着殘兵投奔劉表去了。

孫策和周瑜又乘勝攻下了秣陵，領兵到涇縣捉太史慈。

周瑜設計，活捉了太史慈。孫策親自給太史慈鬆綁，太史慈降順了孫策。

我去收拾劉繇的殘兵，不知你能相信我嗎？

好的！明日中午，望你率眾回來！

太史慈去了一定不會回來。

不會的。太史慈是個守信的人！

第二天中午，太史慈率眾回來。

孫策乘勝南下，攻取了吳郡、會稽等地，很快佔據了整個江東。

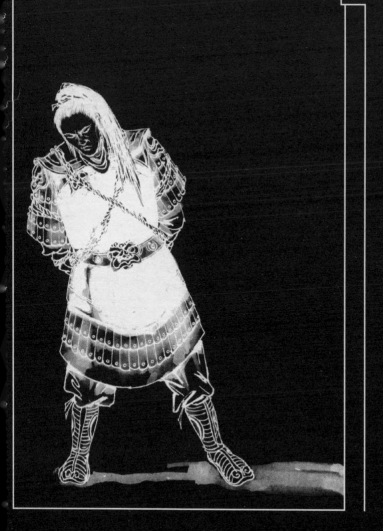

五

呂布之死

內視力的主宰作用

　　正確地釐定大計，或者，任何策略的正確實施，都離不開外觀與內視。外觀與內視相輔相成，是同等重要的，然而，在某些情況下，內視的位置卻又可能比外觀大得多。

內視與自省使人聰明

　　內視，是一種自省。研究指出，大部分人的智力差不多，特別聰明與特別愚蠢，佔的都是極小的一個數字。要脫穎而出，其中一個辦法，是使自己變得聰明——比多數人都聰明些；另一個有效的做法，便是勤加內視、自省，尤其是在關鍵的時候。事實上，內視與自省，從某個角度看，也是可以使我們變得聰明起來。《三國演義》裏的呂布之死，說到底，是死於欠缺內視與自省，死於愚昧，至於曹軍的強大，還是其次的。

　　呂布驍勇，有「一夫當關①」之力，卻未能服眾，甚至由於經常處事失當而換得惡名。昔日呂布殺董卓，是中了王允與貂蟬所佈的局，本人並無卓見；再如紀靈奉袁術之命進攻劉備，呂布居中調停，卻是以他射箭能否命中目標來作定奪，以至招來「兒戲」之譏。

　　呂布有霸業的圖謀，也作過很大的努力，但自省力不足，便使他的努力在很大程度上落了空，到他一再失敗，最後退守下邳的時候，還沒有覺察到問題出在什麼

地方。他的身邊有一位出色的謀士陳宮，向他一再提出退曹操圍兵的計謀，其一是趁曹軍陣腳未定而出擊；其二是由呂布帶領部分軍隊離城，屯兵在外，與留守的陳宮成犄角之勢，以牽制曹兵，但呂布始終沒有聽取。嚴氏（呂布妻子）與貂蟬的話，固然擾亂了呂布的視線，可是，如果呂布有足夠的自省力，那些話也無法起作用。這在某種程度上，跟後來的袁紹因幼子（袁紹有五子）得病而誤了大事是相似的。自省力與內省力不足，便會變得昏庸，分不清大事小事，辨別不出是非黑白。在這情況下，最出色的謀士也無能為力了。被困在下邳的呂布，急需的不是良謀。本身智慧不足，別人提供的智謀，即使出色至極，亦欠缺立足之地。倘若說，世人之中，絕大部分的智慧都不相伯仲②，那末，自省足可以清心明目，原來具備的智慧能得到較好的發揮，也便會比其他人勝了一籌，有了脫穎而出的基礎。《三國演義》裏，謀士極多，他們的命運，往往與自己所奉的是否明主有頗大的關係。當然，作為謀士，有的也是敗在自己手裏的，如孔融推薦給曹操的禰衡便是如此。禰衡給曹操假別人之手所殺，他的下場，一如曹操所料。曹操給他的評語，是下面的八個字：「腐儒舌劍，反自殺矣！」看不清眼前形勢或不管自己的處境，只圖在口舌上爭勝，曹操認為，這是愚不可及。我們客觀看來，曹操這八字評語，自有其可取之處。

①一夫當關：「一夫當關，萬夫莫敵的簡略，形容人極驍勇。

②不相伯仲：不相上下。

貪杯好色無異於自殺

呂布一再錯過了戰機，但自恃城裏糧食豐足，又有泗水之險，故安心待在城裏。曹操圍城二月後，命人決河堤，讓下邳毗除東門外，都遭受水淹。即使如此，呂布還是日夕與嚴氏等痛飲，曹操亦一時莫奈他何。

其實，這個時候的呂布，已走上了自殺之途，他的體力與戰意，已遠遠不可與他獨戰「三英」（劉備、關雲長、張飛）之時相比，欠缺了體力與戰意，一身好武藝也大打折扣了。後來呂布取鏡自照，驚覺為酒色所傷，可惜時不我予③，加上他在頒了禁酒令之後，不懂體察形勢而毒打違反酒禁的下屬，遂促成了部屬的離心。他們認為「布只戀妻子，視吾等如草芥」，終於被部屬趁他熟睡時把他擒獲，送交曹操。

呂布驚覺為酒色所傷，頒下禁酒令，對他而言，本來是一次轉機，可惜他沒有很好地把握，在那重要的關頭（城外有曹操大軍、城內被水淹，自己要養好身體）作進一步的自省，便自絕生路。也許，這也是由於「積重難返④」，真正的「重要關頭」，是在此之前的許多步。到了這一步，那種驚覺，只能發生在次要的層面，沒法產生較大的作用了。

呂布被捕後一再求饒，原本，他出眾的武藝是可以「留用」的，然而他的所作所為，被劉備與曹操投以不信

任票，結果在白門樓被縊死。有人批評道，呂布的求饒，非英雄所為，可是，從整件事來看，這一點已經不重要。死得英雄又怎及得上活得有用？

　　事實上，說到底，呂布也是「自殺」。

③時不我予：時間不等待我們。這裏指錯過機會。

④積重難返：長期形成不良習慣和弊端，不容易改變。

不久，袁術又派大將紀靈率兵十萬，討伐劉備。

劉備派人向呂布求救。

呂布一箭射中，迫使雙方罷戰。

過了些日子，呂布因張飛奪了他買的馬匹，出兵攻打小沛。

如我射中畫戟小枝，兩家罷戰！射不中，你們再打。

一百五十步外，轅門持戟。

92

呂布是個無義小人，我一定幫你滅掉他。

劉備兵敗，無處存身，就帶着關羽、張飛去投奔曹操。

平定天下，要招納各方豪傑，殺了劉備，誰還敢投靠您？

荀彧勸我殺劉備，我該怎麼辦？

曹操召見郭嘉。

說得對！

劉備是個雄心勃勃的人，不如今天把他除掉，免留後患。

曹操正要出兵討伐呂布。

報！宛城張繡揚言進攻許都，劫走天子。

第二天，曹操任命劉備為豫州州牧。

我去征討張繡，呂布來襲擊許都怎麼辦？

這很容易。丞相可派人封呂布為徐州太守，讓他和劉備和解。

曹操出兵宛城，張繡投降。

94

曹操收納了張繡帳中的年青女子鄒氏，每日飲酒取樂。

張繡忽然，夜襲曹營，殺死大將典韋，曹操逃回許都。

不久，袁術在壽春稱帝，曹操聯合劉備、呂布、孫策，進攻袁術，攻佔了壽春。

曹操班師時，命劉備屯兵小沛，制約呂布。

曹操遣兵又征張繡，張繡聯合荊州劉表，再次打敗曹操。

95

漢獻帝建安二年，曹操約劉備討伐呂布。呂布截了劉備給曹操的覆信，乘虛出兵攻打小沛。

曹軍趕到，連連擊敗呂布，攻下了徐州和小沛。

小沛失陷。

到城外駐軍。

將軍哪裏去？

呂妻。

將軍駐城外，我率兵守城，互為救援。待曹軍糧盡，便可打敗它。

好辦法！

呂布退守下邳。

你把我丟在城裏，萬一有個好歹，怎麼辦？

將軍千萬別丟下我出城！

貂蟬。

呂布丟不下妻妾，下令閉城堅守。

唉！四面楚歌，只能以酒澆愁。

呂布拒不出戰，曹操無法攻下下邳。

97

決開沂河、泗水，以水灌城，即可破城。

曹操採用了郭嘉的計策。

報！大水沖進城裏，平地水深三尺！

甚麼？

我有赤兔馬，渡水像走平地一樣，怕

他依舊天天飲酒澆愁。

不好！我臉色如此憔悴，定是飲酒傷身。從今天起，一定戒酒。

98

傳我命令，今日起全城禁酒，違令者斬！

恰巧大將侯成奪回了被偷的十五匹馬，眾將都來道賀。

不要緊的，我先送些好酒給他。

呂布怪罪怎麼辦？

侯成準備和眾將飲酒慶賀。

眾將慶賀我失馬復得，想喝些酒，特先送些好酒給將軍。

我剛下禁酒令，難道你故意跟我作對！來人，把他推出斬了！

99

好！

呂布無情無義，我們獻城投降曹操。

不是你們救我，我死定了！

魏續、宋憲扶侯成回家。

當晚，侯成偷走了呂布的赤兔馬，投向曹營。

裏應外合，下邳城被攻破。

呂布、陳宮、高順、張遼被擒。

曹操先下令殺了高順、陳宮。

丞相，我願歸順你，幫你打天下！

丞相難道忘了董卓的事嗎？

玄德，你看怎麼樣？

唔！推出斬了！

103

他是個忠義之士，我願用性命擔保。

曹操又要殺張遼。

張遼歸降了曹操，曹操封他為中郎將。

曹操留下車騎將軍車冑守徐州，和劉備一起帶着大軍回許都去了。

六

煮酒論英雄

一層復一層深不可測

　　曹操見枝頭梅子青青，便煮了酒，請劉備過來一起喝酒兼賞梅。表面看來，這是歌舞昇平之象。

　　然而，這不過是表象。

學小人之事韜光養晦①

　　事實上，劉備是早有準備的了。他被皇帝稱為皇叔，留在許都，那就是生活在曹操的勢力範圍之內，時刻受到曹操的威脅，這一點，劉備倒是看得很清楚的，因為，當時連皇帝也受制於曹操，皇帝把劉備留在身邊，也不過是希望自己沒有那末勢孤力弱而已。

　　劉備首先做起來的一件事，便是在自己住處的後園裏種菜。可是，劉備這樣做，卻連關雲長與張飛都看不過眼，說：「兄不留心天下事，而學小人之事，何也？」但劉備不便對他二人明言，這是他的韜光養晦之計。他就是要曹操知道，他是無心於天下大事，使曹操疏於對他的防範。

曹操先觀龍後觀劉備

　　曹操是不是因此就放下心頭大石呢？當然也沒有這末的簡單。他一邊和劉備喝酒，一邊就談論起天下大事來。恰好天氣變壞，天上出現了龍掛，曹操便這樣跟劉

備說起龍的種種來：「龍能大能小，能升能隱：大則吞雲吐霧，小則隱介藏形；升則飛騰於宇宙之間，隱則潛伏於波濤之內②。」這裏曹操其實是借了龍來說人的。曹操的「龍觀」，也使我們看到了曹操確是有他的獨到之處的。龍的厲害，也全在曹操的「龍觀」裏，接着，曹操更與劉備論起英雄來。

曹操要劉備先論一下。他是出了這末一道難題給劉備。

劉備在後園裏正在做小人之事，曹操卻一下子要他論天下英雄。劉備的處境，正是說也難，不說也難。從某個角度看，這是兩個勢力最高層次的外交角鬥。

包藏宇宙與吞吐天地

劉備的做法，是專挑自己和曹操以外的一些人來數說。他不說自己，當然是有道理的；可是，他爲甚麼不說曹操呢？第一，他先說了這一句：「備肉眼安識英雄」，第二，他不說曹操，更能證明了，他確是不識英雄，從而讓曹操曉得，他劉備並不具備了足夠的斤兩。

後來，曹操對他說出了能夠成爲英雄的標準：「夫英雄者，胸懷大志，腹有良謀，有包藏宇宙之機，吞吐天地之志者也。」我們不要評論這條標準是高還是低，只能說這條標準是否正確，如果正確，那末，要成爲英

① 韜光養晦：有才能的人把自己的才華與聲勢隱藏起來，不讓別人知道。

② 龍能大能小，能升能隱：大則吞雲吐霧，小則隱介藏形；升則飛騰於宇宙之間，隱則潛伏於波濤之內：龍可以變幻爲大龍小龍，能升騰，能隱形。變幻成大龍時，牠能吞雲吐霧；變幻成小龍時，牠能隱藏起自己的身形。當牠升騰的時候，便騰飛在宇宙之間，當牠隱藏的時候，便潛伏於波濤之內。

雄，就只有達到那一個標準，才能夠稱得上英雄了。

禰衡痛快但劉備細密

　　曹操是頗有見地的。曹操接着指着劉備說：「今天下英雄，唯使君與操耳。」曹操所做的這一切，都自有其目的。劉備聽了，自然也不敢怠慢，他馬上做了兩件事，第一，他故意失驚，讓手上的匙筯等掉在地上，可是，他又怕曹操懷疑他是故意這樣做，所以第二，他又藉著雷聲來作掩飾，說自己是被雷聲所驚嚇，才會那樣。劉備的心思細密，一層又一層，使曹操一下子也看不透。

　　劉備相較於孔融的朋友禰衡，無疑是高明得多了。禰衡當面批評曹操六濁，數說得痛快，但也自絕其生路，曹操要對付他，也便容易得多；不像劉備，使曹操一時間不知道如何下手。

　　曹操與劉備煮酒論英雄，背後的東西多着呢！

曹操回到許都，安排劉備住在相府附近的一所宅院中。

次日，他帶劉備朝見漢獻帝，獻帝按輩份尊劉備為皇叔，封為左將軍。

天子認劉備為皇叔，恐怕對丞相不利。

他做了皇叔，我用皇帝的命令指揮他，他豈敢不從。

不久，漢獻帝怨恨曹操專權，咬破手指，用血寫了一道誅殺曹操的密詔。

董承約請王子服、馬騰等六人結成同盟，發誓要殺掉曹操。

他把密詔賜給了忠心為國的車騎將軍國舅董承。

我加入盟約！

劉備怕曹操懷疑，天天在後園種菜。

董承又來到劉備家中，密邀劉備入盟。

我有我的道理，日後你們自會明白。

大哥為甚麼不留心國家大事，卻種起菜來？

一天，許褚、張遼來到菜園。

劉皇叔，丞相請你馬上去一次。

難道……

劉備暗吃一驚。

不知道。

有甚麼緊急的事嗎？

劉備忐忑不安地來到相府。

你在家中幹甚麼大事呀？

走！跟我去後園！

他葫蘆裏賣的甚麼藥，我得小心。

青梅熟了，請你來賞梅喝酒，請！

劉備如釋重負。

那不過消遣罷了。

這是我家的菜，聽說你很會種菜。

——那天行軍，天熱缺水，將士們乾渴難奈

看到青梅不由想起去年征伐張繡時望梅止渴的事……

前面有一大片梅林，快走！

酒興正濃。

——將士們聽了，舌下生津，腳底生風。

依你看，誰是當世英雄？

我來試探一下他的膽識。

114

我才識淺薄，哪裏識得英雄！

不必客氣，隨便說！

淮南袁術，兵多糧足，可算當世英雄！

他已是填中枯骨，我早晚要除掉他！

河北袁紹，虎踞冀州，一定可算英雄了！

您說的這種英雄，誰能稱得上呢？

哈哈！這樣的英雄，當世只有你、我兩人罷了！

劉備一驚，筷子落地。

轟！

轟隆隆。雷聲閃電，大雨傾盆。

這雷真嚇人，把我的筷子都震落了。

大丈夫也怕雷嗎？

這麼響的雷，怎能不怕？

雨停席散，劉備告辭。

他這麼膽小，不足為患！

第二天，曹操又請劉備喝酒。

報！公孫瓚被袁紹攻破，袁術準備歸附袁紹！

兩袁聯合，對丞相很不利！

我脫身的機會來了！

好！我給你五萬人馬！

我願領兵去徐州，截擊袁術，擒住他！

我要阻止他們！

119

全速前進。

離開許都，就像魚入大海，鳥上青雲。

這次出兵，為甚麼如此忽忙？

告知丞相，將在外，君命有所不受。

您放心，我一定不忘。

皇叔不要忘了盟約！

劉備剛走，曹操後悔，派許褚追來，要劉備回兵。

劉備點齊人馬，準備起程，董承前來相送。

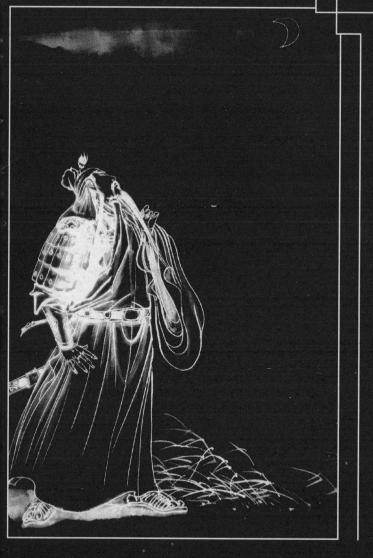

七

關羽降曹

這裏面有一條用智之道

劉備與張飛兵敗，分別奪路逃走，關羽——關雲長則被困土山。曹操欣賞關雲長，遂派出與關雲長有一定交誼的張遼去當說客，遊說關雲長降曹。

怎樣使關雲長跑不了

關雲長有自己的考慮。首先，他說明了，自己只降漢帝，不降曹操；他又表示，只要一旦得知劉備的所在，便會不遠千里，回歸劉備身邊；此外，他受劉備所托，要保護劉備的二位夫人，責任未了，不能就這樣戰死沙場。

曹操的做法是，加倍地善待關雲長，務使關雲長覺得，他欠下曹操的較欠下劉備的更多，這樣，關雲長便跑不了，而且會盡力地扶助曹操。

曹操這樣做，是很有針對性的，起碼在一段日子裏，使關雲長留了下來，也不止一次地協助曹操解決了難題。雖然，關雲長最後還是護著劉備的兩位夫人跑了，可是，曹操還是成功了的。

行之有效的用智之道

曹操同意了他的謀士的見解，關雲長只能智取，不能力擒。用智，我們聽得多了，也許亦說得多了，可是

怎樣才是用智呢？有沒有一條行之有效的用智之道呢？

　　有的，只是，這條用智之道，並不能夠使我們簡單地達到目的。因為，這條用智之道就是：根據實際情況，作實際分析，從而找出對策來。智，不等於可以少花力氣。有人或者會這樣問：既然這樣，用智與不用智，又有甚麼分別呢？

　　分別在於，同樣是花了力氣，用智者，花了力氣會大有所得，一如曹操在某個程度上得到了關雲長（後來，關雲長還在緊要關頭，冒著自己受軍法處置的危險，放了曹操），而這某個程度，倘若把事實看清楚了，便會發覺，原來已經是最大程度；不用智者，則花了相同的力氣，所得的卻少了許多，甚至是全無所得。

機會未必誰都能發現

　　機會是厚待一些人的。並不一視同仁。《三國演義》裏，關公被曹兵圍困在屯土山，無法突圍，情況極為危險，原來那是曹操聽取謀士的意見後所佈下的一個局，藉此要使關公留在他的身邊。險局的背後，有着極大的機會，只要關公一點頭，榮華富貴便可手到拿來。生意場裏，情況也極為類似，對一些人來說，險局就是險局，九死一生；可是，對於另一些人，險局只是表象，不僅能夠化險為夷，而且會輕易得到其他人夢寐以

求的東西。

關公對曹操只是半點頭，因爲他向曹操申明，只要什麼時候探知劉備的所在，他便一定會離開曹操，回歸故主。關公這樣說的時候，並沒有考慮曹操的想法，只是恰好曹操喜歡忠義之士，這方面早有先例，如原本追隨呂布的張遼在與呂布一起被曹操擒獲時，視死如歸，並大罵曹操，卻被曹操特赦。張遼在呂布死後，獲得曹操的重用。

關公在各方面都得到曹操的厚待，但他的想法始終沒有改變，例如，後來曹操把呂布生前所騎的赤兔馬送給他，關公首次對曹操施拜謝之禮，說：「吾知此馬日行千里，若知兄長下落，可一日而見面矣。」毫不隱諱，如此一來，曹操更要把他留下來了。因爲關公說過「立功方去」的話，曹操的辦法，便是不讓他有立功的機會。關公是戰場上的英雄，他要立功，也一定得在戰場上。戰場總有兇險，曹操不讓關公立功，從某個角度看，便是可以安享歲月了。

練就眞本事最最重要

這樣的機會，給關公送上門去。說到底，這並非機會厚待關公，而是關公自己有那樣的本事。明顯的是，他對上門的機會並不動心，並沒有急不及待，只有這

樣，他的本事才得到最大的發揮。面對生意場上的種種機會恐怕也是這樣，一心以為鴻鵠將至①，不能冷靜下來，便不能很好地發揮，也便不能把握機會了。

有的人很強調不要錯過機會，說機會可一不可再，其實最重要的，是自己的本事，或者更正確地說，是自己有沒有那樣的本事。練好自己的本事最要緊，有了大本事，原來不是機會的，也會變成是機會了。關公的忠義、視死如歸，是一種本事，有了這種本事，屯土山的凶，便變為吉。其他人碰上同樣的凶，或者關公在那個處境裏不再把忠義放在第一位，貪生怕死，那末，凶便不會化為吉了。

關公另一本事，是他的武藝。有了這種本事，便更加顯彰了他的忠義與視死如歸，使曹操更加敬重他，也盡可能不讓他立功。袁紹派出大將顏良進攻曹操，曹操亦只是派遣其他將領迎敵，但一概敗於顏良之手，曹操這才聽取謀士程昱的意見，派關公上陣。程昱的看法是，劉備若在世，必在袁紹那兒，如關公殺了顏良，袁紹必起疑心，殺了劉備，這樣，關公也就不會投袁紹了。結果，關公連殺袁紹顏良與文醜數員大將。劉備用智應付了袁紹，關公也知道了劉備的所在，要辭別曹操而去。曹操為了留下關公，寧可在門上掛出迴避牌，也令張遼稱病，不見關公。曹操用心良苦，他喜愛關公之情，也溢於言表。這個時候，關公如果不離去，一定會

① 鴻鵠將至：典故出自《孟子‧二子學弈》：「一人雖聽之，一心以為鴻鵠將至。」這裏借指好運就快來了。

127

得到曹操更多的賞賜。

面對機會要把握得住

關公知道曹操的心意，他的選擇是，把曹操的賞賜都留下來（赤兔馬除外——因爲他急於見劉備），只帶着劉備的家眷、自己原有的隨員的行李，奔劉備而去。曹操無奈，只好親率自己的愛將，給關公送行。

關公是否因此失去了榮華與厚祿呢？從長遠的觀點看，並不如此。他在曹操心目中的地位更加重要了。倘若可以交換，曹操會拿出更多的財帛與更高的官位。

面對生意場的種種機會，要把握得住，生意人得冷靜從事，以靜制動，否則，目迷五色，暈頭轉向，自己成爲了俘虜，甚麼把握機會，便完全談不上了。

堅持原則又不失靈活

曹操聽從謀士程昱的計策，以軍隊把關雲長困於土山，那是由於曹操「素愛雲長武藝人才，欲得之以爲己用」，於是先用計把關公圍於土山，然後再派張遼前往游說。關公與張遼雖然各爲其主，卻是互相欣賞的。張遼原本跟隨呂布，後來在白門樓，與呂布一起陷入曹操之手，呂布乞憐，結果被殺，張遼大罵曹賊，寧死不

屈，劉備代爲向曹操說情，當時，關雲長也對曹操說：「關某素知文遠忠義之士，願以性命保之。」這次之後，張遼便追隨曹操。關公被困土山，張遼得知，又自願前往，要說服關公歸順曹操。

張遼見着關公，首先表示，此來是要與關公叙舊，但關公很快便知道張遼的來意，立即表示：「吾今雖處絕地，視死如歸。」張遼針對關公的性格，指出關公曾與劉備等桃園結義，誓要共生死，如果關公先亡，便是違背了自己的誓言，此外，關公原保護劉備的家眷於下邳，不能置之於腦後。關公思考再三，終於提出了三個條件，如果得到允諾，他便投降。這三個條件，包括了曹操不得侵犯劉備家眷等，其中最主要的一條，是甚麼時候得知劉備所在，便立即辭別曹操而去，曹操不得阻攔。

關公的原則也是非常強硬的，絕對沒有轉圜餘地，即使身陷險境，亦毫不動搖。

曹操一來欣賞關公的忠義，二來以爲只要假以時日，感動了關公，說不定便可使他改變主意，因此便答應了關公的條件。

知恩圖報爲曹操立功

這一場關公與張遼、曹操的「外交」談判，似乎雙方

都達到了目的，雙方都得到了成功。關公處於劣勢，一一作了堅持，曹操處於優勝，卻一一作了退讓。日後，關公在與曹操周旋的時候，也有其靈活的地方，如曹操送給他的綾錦、金銀器皿和美女十人，他都接受下來，然後轉送劉備的妻子。又如，曹操見關公所穿的綠錦戰袍已舊，即為其新造一襲戰袍，關公接受，穿上了，卻「仍用舊袍罩之」，對曹操言明「舊袍乃劉皇叔所賜，某穿之如見兄面，不敢以丞相之新賜而忘兄長之舊賜」。我們或者可以說，關公堅持原則有餘而靈活不足，然而，這也就是關公。

關公的大原則擺得很清楚，毫不含糊，不會減一點，也不會加一點。曹操接受關公，便得連這些亦接受下來。關公知道曹操有恩於自己，故此他也表示，要先為曹操立功，然後辭去，曹操也只好抓住這一點，設法不讓他立功，以此把關公留下。

機密泄露，吉平被逮，觸階而亡。

曹操從董承家中抄出了血詔和盟書。

第二年，董承和太醫吉平密謀，準備趁曹操頭疼病發時，用毒藥毒死曹操。

董承、王子服等合家老小被殺。

還有馬騰和劉備，我決不放過他們！

我去征伐劉備，你們看怎麼樣？

一天，曹操和謀士程昱、郭嘉商議。

袁紹多疑，不足為慮。劉備部下軍心不齊。東征定能成功！

劉備是個英雄，現在不去打他，將來羽毛豐滿了，更難下手。

現在袁紹屯兵官渡，如東征劉備，袁紹會乘虛而來。

曹操點起二十萬大軍，分兵五路，向徐州殺來。

形勢危急，劉備派孫乾去向袁紹求救。

孫乾和袁紹的謀士田豐一起來見袁紹。

曹操東征，主公可乘虛發兵襲擊許都，既可救徐州，又可滅勁敵，機會難得。

我小兒子生了疥瘡，我心中很亂，實在沒心思出兵。

133

你告訴玄德，如有不如意時，可來投奔我，我自會幫忙的。

袁紹不肯發兵……

？怎麼辦

當夜，劉備和張飛兵分兩路，偷襲曹營。

曹兵遠道而來，必然困乏，今夜前去劫寨，一定可以獲勝。

這個主意不錯！

曹操早有準備，伏兵齊出，把劉備和張飛打得大敗。

張飛無路可投，逃往芒碭山中。

劉備帶着殘兵，去投奔袁紹。

曹操取了徐州和小沛，和眾謀士商議繼續進兵。

關羽保護劉備家眷，死守下邳，必須趕快攻取。

135

關羽義氣深重，一定不肯投降。

我一向喜愛關羽的武藝和人品，要設法讓他投降。

關羽性子剛強，決不肯隨便歸降。必須使他進退無路，才有希望。

我和關羽是朋友，願去勸他歸降。

我有一計⋯⋯

好！

降兵來到下邳，關羽毫不懷疑，全部收留。

你們到下邳去投靠關羽，在城裏作內應。

曹操找來幾十名降兵。

第二天，曹操派夏侯惇帶兵在城外挑戰。

報！關外有曹兵挑戰！

守住四門，不許出戰。

關羽，你是個膿包！

膽小鬼！

關羽大怒，帶三千人馬出城交戰。

夏侯惇佯敗，把關羽誘離下邳二十多里。

138

不好！中了誘敵之計，快回城去！

轟
轟
轟

徐晃、許褚領兵截住關羽退路。

關羽苦戰到晚上，殺不出重圍，退到一座土山上駐紮下來。

139

曹操在城中放火，惑亂關羽的心緒。

詐降的士兵打開城門，曹操領兵殺入下邳。

不好！下邳失陷，兩位嫂嫂還在城中，我得殺回去！

連衝幾次，都被亂箭逼回。

天亮後，曹操派張遼來見關羽。

你現在身處絕境，有甚麼打算？

大丈夫頭可斷，志不可屈。你走吧，我願決一死戰。

第一，你違背了桃園同生死之約。

你若戰死，有三條大罪。

第二，你有負劉皇叔照顧家眷的托付。

哪三條？

第三，你武藝超羣，應該和劉將軍一起匡扶漢室，若白白死去，對不起你自己！

暫且歸降，等打聽到劉皇叔的音訊，再去投奔他……

那你要我怎麼辦？

142

要是曹丞相答應我三條，……我便歸降。

好！我回去稟告丞相。

關羽提出投降的三個條件。

第一，降漢不降曹。

我是漢朝丞相，漢就是我，降漢就是降我，同意！

這完全可以做到，同意。

第二，不准侵犯他的兩位嫂嫂。

第三，一旦打聽到劉備在哪裏，他仍要去投奔劉備。

劉備對他無非是恩義重，如果丞相對他恩義更重，他便不會走了。

他早晚要走，我要他投降有甚麼用？這條不能答應。

這話有理，那我也同意。

張遼回報了關羽，關羽便率軍投降了曹操。

約定的三條，丞相不會食言吧！

既然約定決不失信！

第二天，曹操班師回許都。

關羽收拾車輛，請兩位嫂嫂上車，親自護衛，隨大軍到許都去。

145

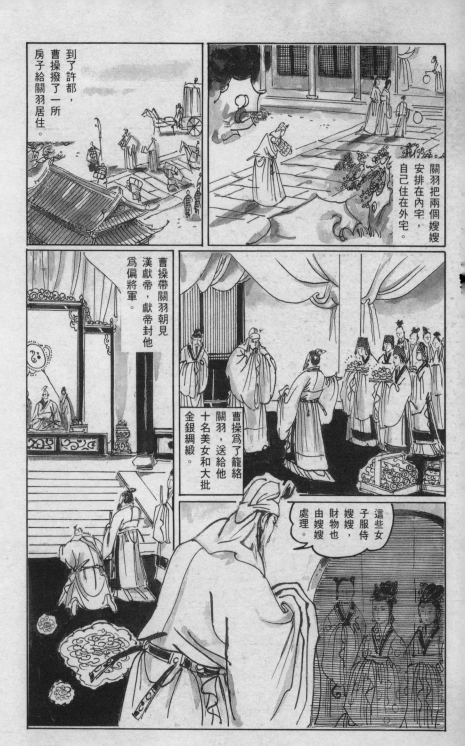

到了許都，曹操撥了一所房子給關羽居住。

關羽把兩個嫂嫂安排在內宅，自己住在外宅。

曹操帶關羽朝見漢獻帝，獻帝封他為偏將軍。

曹操為了籠絡關羽，送給他十名美女和大批金銀綢緞。

這些女子服侍嫂嫂，財物也由嫂嫂處理。

一天，曹操送給關羽一件新的戰袍。

雲長怎麼這樣節儉？

關羽把新的穿在裏面，舊的仍穿在外面。

真是個義士。

舊袍是兄長所賜，見袍如見兄。

多謝丞相。

不久，曹操把呂布座騎赤兔馬賜給關羽。

147

曹操滿臉驚愕，後悔。

這赤兔馬日行千里，有了兄長下落，我當天就能見到他了。

我過去送你禮物，你從來不謝。送你一匹馬，你怎麼就謝了？

丞相待你很好，你為甚麼老是想走？

丞相恩德我知道，但我和兄長誓同生死，我不能背叛他。

我待雲長不錯，可他一心想走，這是怎麼回事？

我去找他問問。

兄長死了，我也跟着去死。

如果劉皇叔死了呢？

我會用戰功報答他。

那你對得起丞相嗎？

關羽眞是個義士，我欽佩他！

張遼把情況告訴曹操。

八

大戰白馬坡

「*地球轉動*」一話的軟弱性

　　「地球上沒有了誰或誰，都照樣可以轉動。」這是一句常常被人引用的說話。

怒斬顏良溫酒斬華雄

　　這句話，無疑是放諸四海而皆準①的。真的，誰可以阻擋地球的轉動呢？世界上沒有一個這樣的人，昨天沒有，今天沒有，明天也同樣沒有。這是鐵一般的事實，然而，這鐵一般的事實，是不是足以證明上面一句說話的權威性呢？

　　關雲長在白馬坡怒斬顏良，單人匹馬，在萬軍中如入無人之境，視連殺曹操兩將的顏良如無物，一下子便取得了顏良的首級；其實，之前關雲長也曾「溫酒斬華雄」，曹操以熱酒敬關雲長，關雲長說斬了華雄再喝也不遲，華雄殺了袁紹兩將，氣勢正盛，但關雲長只一瞬間便取得華雄的人頭，回來的時候，他酒杯裏的酒還沒有涼呢！

地球轉動與個人作用

　　我們也可以說，倘若關雲長不在，地球也同樣會轉，這樣說是沒有錯的，問題是，沒有了關雲長，要殺華雄或顏良，便未必會那樣的輕易。有的時候，地球是

不是繼續會轉，是不能很好地說明甚麼的，因為一個人，即使是能夠力敵萬軍，也遠遠不可以跟地球相比，那樣比，是沒有意思的。

一個人的作用有限，但總有他的作用；一個本領高強的人，作用便更大了。像關雲長那樣，作用又怎會少？

兩個事實誰也改不了

我們可以想一想，假如劉備失去了關雲長，那會怎麼樣？他會不會說：「沒有了關雲長，地球不是照樣會轉麼？」不要說劉備，便是曹操也是不會那樣說的。他因為知道，雲長給他立了功便會離去，所以開始的時候，關雲長自動向他請纓上陣對抗袁紹大軍，他也婉拒了；到了後來，一方面因為袁紹的上將顏良太厲害，另方面因為估計劉備藏身於袁紹那兒，如果讓關雲長對抗袁紹軍隊，袁紹怒而殺了劉備，關雲長便會留了下來，曹操才派遣關雲長上陣。

誰都不會影響地球的轉動，而，倘若關雲長留在曹操身邊，曹操一定會重用他，這也是誰都改變不了的。

① 放諸四海而皆準：把它放在任何地方，它都是對的。

不久，袁紹小兒子病癒。袁紹準備出兵討伐曹操。

上次失卻良機，現曹兵銳氣正盛，不宜出兵。

劉將軍，你的意見如何？

這是田豐。

主公不聽我言，只怕出師不利！

曹操名為漢相，實為漢賊，應該討伐他。

154

袁紹大怒，要殺田豐，經劉備相勸，免殺田豐。

袁紹帶着劉備，率軍征進。

曹操親自率軍迎戰。

他派大將顏良為先鋒，攻打白馬坡。

155

156

可請關羽前來破敵。

顏良英勇無敵，怎麼辦？

曹操收兵回營，和謀士程昱商議。

我怕他立了功，就要離我而去。

好！我馬上派人去請他！

劉備在袁紹處，若關羽殺了顏良，袁紹定會殺掉劉備，劉備死了，關羽還會到哪裏去？

第二天，關羽來到白馬坡。

顏良連斬兩將，勇不可擋，特請將軍前來。

關羽直取顏良。

丞相放心，我上馬去殺了顏良！

158

顏良措手不及，被關羽一刀劈死。

曹軍乘勝出擊，大獲全勝。

將軍真乃天神！

我沒甚麼了不起。我義弟張飛比我勇猛得多。

今後碰到張飛，不可輕敵！

159

曹操上表朝廷，為關羽封侯、賜印。

先鋒被一個紅臉長鬚的勇將殺了。

顏良手下敗兵。

這人是誰？

從容貌和武藝看，像是關羽。

來人！把劉備推出斬了！

這是袁紹的謀士沮授。

天下容貌相像的人很多，難道紅臉長鬚的都是關羽？

你言之有理。

我願率兵為顏良報仇！

袁紹放了劉備，進帳商議進軍報仇之事。

好！我給你十萬人馬，渡過黃河，追殺曹賊！

不能渡河！現在最好留駐延津，分兵駐守官渡，如輕易渡河，萬一失利，不堪設想。

胡說！你沒聽說「兵貴神速」嗎？

161

劉備要求和文醜同去，袁紹便讓他率軍三萬接應文醜。

曹操得知文醜率軍渡過黃河，親自率兵迎戰。

我不妨設下誘敵之計。

丞相，萬一糧草被敵兵劫去，怎麼辦？

待和敵軍遭遇時再說。

曹操謀士呂虔。

糧草先行，軍馬隨後！

162

呂虔不解。

文醜領兵殺到，曹軍前隊依計丟棄糧車，落荒而逃。

文醜兵到，糧車盡失。

快上南面山坡，解甲休息，把馬放到山下。

這正可以誘敵，爲甚麼要退兵？

荀攸不解。

敵兵來了，快收兵退回白馬！

袁軍搶了糧草，又來搶馬匹，一片混亂。

唔—

出擊！

165

二人戰了三個回合，文醜膽怯。

賊將別逞兇！

曹操指揮人馬掩殺，奪回糧草，大獲全勝。

166

劉備率後軍趕到黃河北岸。

看來二弟確在曹軍。

報！紅臉將軍確是關羽，他又殺了文醜！

關羽殺我兩員大將，氣死我了！

把劉備推出斬了。

你還有甚麼冤枉？

冤枉！

167

我幾平上了曹操的當。

我如能得到關羽，勝過顏良、文醜十倍了。

這是曹操設的計策，他怕我盡心幫你，故意派關羽殺了兩將，借你的手殺我！

我馬上寫信給關羽，把他招來。

168

九

千里走單騎

商場裏同樣有着這種必然

「無商不奸」，許多人提到生意人，都自然而然地想起了這四個字，甚至會不加思索地加以引用。其實，奸的豈止生意人，不管哪個圈子裏，都會有一些奸人存在。也許，隨意地冠人以「奸」名，已經成爲某些人的陋習。一位生意人說過「奸的可以賺大錢，忠的也可以賺大錢」。這裏所指的大錢，乃是成功的代名詞──「奸」的暫且不說，起碼忠的同樣可以成功。

留關羽曹操不擇手段

關雲長得知劉備的消息，便堅決離開許都，辭別曹操，在此之前，曹操給予他的大名大利，一概不起作用。在這事情上，關雲長用的都是「陽謀①」。一開始便放得很明白，絕無半點含糊。曾經一再施計的，是曹操。曹操是「奸雄」，爲了達到目的，可以不擇手段。他留不住關雲長，卻對關雲長更加敬重。

關雲長保護着劉備的二位夫人，離開許都。曹操得知，對部下諸將評論關雲長，主要是這兩句話：

一、不忘故主，來去明白，眞丈夫也。

二、雲長封金掛印，財賄不以動其心，爵祿不以移其志，此等人吾深敬之。

關雲長「來去明白」，並無絲毫閃縮之詞與閃縮的行動，被曹操讚爲「眞丈夫」。這一點也足以成爲做大事者

①陽謀：「陰謀」的仿造語，表示一切計謀的安排與目的早已公開。

的楷模。光明磊落，貫徹始終，心志不會被名利所左右。這使得曹操也大表折服，要為關雲長送行。

後來，關雲長過五關斬六將之後，曹操的一些將領要捉拿關雲長，也被曹操派遣前後三位特使，加以化解。曹操的第三位特使張遼並這樣說：「奉丞相鈞旨：因聞知關雲長斬關殺將，恐於路有阻，特差我傳諭各處關隘，任便放行」。曹操所遣的一、二兩位特使均說曹操未知關雲長路上殺人，所以未能折服追兵，張遼這樣說，追兵便只得住手了。這也讓我們看到了，曹操對關雲長的佩服，確是出於內心。

關羽過五關逢凶化吉

這裏，我們還要特別指出的是，關雲長的「千里走單騎」，過五關而斬六將，所靠的也不光是他高強的武藝。也因為這樣，那過程才更加動人，關雲長的形象也才更加高大。路上，險阻重重，對手也屢屢施詐，只是由於關雲長的忠義已經廣為人知，有不少人或在明或在暗的出手相助，關雲長才得以安然渡過。此外，關雲長也不是隨便殺人，可以不殺的，他一個不殺，這樣做，也有助於他盡量減少自己的阻力。武藝、忠義、寬容這三者，看來是忠義排第一，寬容排第二、武藝居末位，儘管他的武藝是那樣的高強。這樣認識關雲長，才是比

較全面的。我們看關雲長過五關斬六將，如果光是看他的武藝，便是非常的片面。

當然，我們也不妨說，關雲長所騎的雖然是呂布生前的名駒「赤兔馬」，但因為要守護劉備二夫人，不可能走得快，這樣，曹操所遣的第三位特使，便有來得太慢之嫌。問題自然不是出在關雲長相知的張遼身上，而是曹操的主意。說不定，那是曹操不自覺的，是一種現代心理學所指的「潛意識」。可是，即使曹操有這種「潛意識」作祟，最後也敵不過集那三種「元素」於一身的關雲長。在強大的關雲長面前，曹操的「潛意識」也觸礁了。

「邪不能勝正」這個說話，是很有道理的。正人君子自有一種氣概，凜然不可侵犯。自然而然地，社會大眾都支持正人君子，這一股勢，使正人君子大大受惠。至少，那是受惠於人和。正人君子依循正途學習，加強自己的本領，要得到成功，也是不難的。關雲長的「百戰百勝」，也有自己的道理。他的逢凶化吉，不是僥倖，而是一種必然。

大丈夫來去明白。待我辭別丞相，馬上帶兩位嫂嫂前去。

皇叔非常想念你，盼你快去相會。

不久，劉備派人送信給關羽。

我既知兄長下落，寧可一死，也不再留下。

如果曹操不肯放你走，怎麼辦？

一連幾次，關羽去向曹操辭行，曹操避而不見。

迴避

他封金掛印，留下一封辭行信，帶着兩位嫂嫂離開許都。

他去找張遼。

張將軍有事，暫不見客。

唉！關羽走了！

不必追趕，他來去明白，是個大丈夫，你們要向他學習。

曹操手下武將蔡陽。

給我三千人馬，去抓他回來。

174

以前我答應過他，不能失信。況且他尋劉備是為了義氣，不該為難他。

關羽投了袁紹，必後患無窮，還是把他殺了為好。

程昱。

雲長慢行，丞相馬上前來送行。

他是個重情義的人，我去送送他，盡個人情。張遼，你先留住他，我馬上就到。

是！

兩位嫂嫂先走，我馬上就來。

175

雲長怎麼走得這樣急?

你放心,我不會失信的。送上黃金一盤,權當路費。

我幾次到府辭行,沒見丞相,望到丞相,記許下的諸言。丞相不要忘記許下的諸言。

我不缺路費,丞相留着賞給其他將士吧!

那送你一件戰袍，留作紀念吧！

關羽恐怕有詐，用刀挑起戰袍。

多謝丞相賜袍，再見。

他太無禮了，我去抓他回來。

他生疑心是正常的，我們回去吧！

關羽追上車仗，當晚投宿在胡家莊。莊主胡華敬重關羽，熱情接待。

177

次日關羽一行來到東嶺關。

好的。

小兒胡班在榮陽太守王植部下做事，請你帶封信給他。

守將孔秀欲攔住關羽，不讓過關。

消息傳到洛陽，洛陽太守韓福和牙將孟坦密謀。

等關羽來到，我領兵和他交鋒，你用暗箭射他，擒住他，解到許都，必有重賞。

好計!

韓福領兵攔住關羽去路。

東嶺孔秀，被我殺了，你也要尋死嗎？

關羽，你別逞能，我來戰你！

只三個回合。

無恥
小人，
看刀！

關羽拍馬衝過去，
一刀砍了韓福。

韓福暗放冷箭，
射中關羽左臂。

關羽過了洛陽，
來到沂水關。

守將卞喜在關外
鎮國寺中伏下刀
斧手，欲害關羽。

守將卞喜迎接關將軍。

我過關斬將，實屬迫不得已，望將軍容我過關。

我敬仰將軍，願送將軍過關。

卞喜送關羽出了汜水關，在鎮國寺宴請關羽。

碰巧，鎮國寺主持普淨和關羽同鄉，請關羽到方丈室喝茶。

將軍小心……

你這惡人，竟敢設計害我！

關羽來到大廳赴宴。

181

若不是師父，我就被卜喜害了。

我這裏也留不得了。將軍保重，後會有期。

關羽一路北上，來到滎陽關。

滎陽太守王植假獻殷勤。

胡班，你帶人在驛舍四周堆柴，三更點火，燒死關羽。

是！

182

聽說殺死顏良、文醜的就是關羽，我倒要看看他是怎樣一個人。

唔！真像天神一樣！

你就是胡華的兒子？巧極了，你父親有封信帶給你。

父親說關羽是個不愛功名利祿，不畏權貴的英雄，我怎能坐視不救？

誰？

榮陽從事胡班。

關將軍，王植要火燒驛館，你快快離開。

關羽馬上派人叫醒兩位嫂嫂，衝出驛館。

胡班又賺開城門。

多謝相救之恩！

王植得到消息，追出城來。

185

關羽闖關，殺死秦琪。

夏侯惇部將秦琪守住關隘，不讓關羽過關。

關羽一行乘船渡河。

渡河不久，夏侯惇率兵追來。

187

那我只好捉他去見丞相，待丞相放他。

別打了，丞相知道雲長過關斬將，遭到攔阻，怕他遭到攔阻，我令派關斬將，我處放各處放行。

張遼飛馬而來。

我過關斬將，實出無奈，請替我向丞相謝罪。

幾天後，關羽一行來到臥牛山，收納了山大王周倉。

關羽得知張飛佔了一座古城，便到古城和張飛相會。

不久，劉備得到消息，和簡雍、孫乾從袁紹處脫身。

途中，劉備巧遇趙雲，一起前往古城。

我要重整旗鼓，逐鹿中原！

十

孫權鎮江東

看似簡單內有乾坤

談及成功人的成功之道，都少不了這一句：「他很有辦法！」似乎，要把生意做得成功，甚至，推而廣之，做事要成功，也是離不開辦法的。沒有辦法，是很難做事的。

孫策爲東吳煞費苦心

《三國演義》裏，孫策因急病而死，由他的弟弟孫權繼位。這是「小霸王」孫策的主意，也是高明和具有決定性的一個部署。孫策在江東之初，原本奉行「王道①」，甚得人心，死前表現急躁，聽不入衆人的意見，可能因爲先前所取得的功業，使他自視過高，自信心太強，才有了偏差。他死前付託重責給弟弟孫權之時所說的一番話，都是極有見地的：「若舉江東之衆，決機於兩陣之間，與天下爭衡，卿不如我，舉賢任能，使各盡力以保江東，我不如卿。卿宜念父兄創業之艱難，善自圖之！」旣能自知，也看到孫權的長處，而且這長處正是「力保江東」之所需。孫策在這個時刻提出「力保江東」，是一個正確的策略。主帥亡，必被四周覬覦②視爲可乘之機，大舉進襲，故先求力保，是切合時宜的。「與天下爭衡」、「盡力以保江東」，是完全不同的兩回事，對輔助者的要求也完全不同，孫策的那番說話，亦隱含着「切忌一朝天子一朝臣」的告誡，着眼於「舉賢任能」，這

192

樣才可以挑選出一批合適的輔助者，力保江東。「宜念父兄創業之艱難」一語，作用是使孫權知道得來不易，兢兢業業。

知人善用增加凝聚力

孫策的弟弟，不是只有孫權一個，但他臨終用人，也具眼光與魄力。如果欠缺了眼光與魄力，「舉賢任能」是未必能貫徹的。孫策「舉賢任能」有一定的難度，要做到這一點，孫權的難度更大——他「生得方頤大口，碧眼紫髯」，被評爲「形貌奇偉，骨格非常，乃大貴之表」，然而，他畢竟是初擔大任，沒有甚麼功業支撐自己。所謂「創業難，守業更難」，特別是，倘若守業者與創業者不是同一人，威望不足，怯於衆多老臣子，處事用人便難以持平了。大抵孫策也顧慮到這方面，故又囑咐孫權：「內事不決，可問張昭；外事不決，可問周瑜」，加上了張昭與周瑜，孫權要坐鎮江東，把握便大了。

用人是一門大學問。第一，用人要用得恰當；第二，所用的人要真的能夠發揮所長。這對於用人者，是一個大考驗。常常說的「懂得用人」，要做得到，做得好，一點兒也不簡單。用人是這樣，用人的辦法，亦是如此。周瑜引用馬援的說話：「當今之世，非但君擇

臣，臣亦擇君。」即使知道用人的重要，但用得不恰當，不得其法，人還在，也是用不上的了。何況，在這個情形下，人會離去。失去了凝聚力，便是敗象已露。孫權上任之後，很快便得到魯肅、諸葛瑾、張紘、顧雍等人的相助，使局面很快穩定下來，也樹立了自己的威信。這是甚麼原因呢？魯肅是得到周瑜的推薦，但孫權除了信任周瑜之外，自己也親自與魯肅同床夜話，從交換對大局的看法中進一步認識魯肅。這是用人得其法的一個重要前提。

談用人，自然使人想到「功不蓋主③」這個問題。倘若說，主持者的最大本事就是用人，那末，用人得當，其人表現再出眾，也不存在「蓋主」這個問題。這是可以肯定的。

③功不蓋主：古時候認為臣子的功勞與聲望不應該超過君主，以免惹來殺身之禍。

孫策稱霸江東後，又奪取廬江、豫章兩郡，聲勢更大。

他派張紘到許都去報捷。

這頭小獅子真兒猛，不大好對付。

曹操把曹仁的女兒許配給孫策的小弟孫匡。

這不行！

孫將軍請丞相封他作大司馬。

張紘，你別回江東了，留在許都吧！

這……

195

看我打到許都去，曹操還敢小看我嗎？

我得把這情況報告丞相。

張紘派人回江東向孫策稟告。

孫策的話傳到吳郡太守許貢的耳中。

送信人被捉。

吃裏扒外的傢伙，我要殺了他！

他寫了封密信，派人送往許都。

你去請許貢，說我有要事商議。

許貢來見孫策，被活活絞死。

我們要為主人報仇！

許貢家客平日受到許貢恩惠。

一天，孫策帶了程普等人，到西山打獵。

好大的一隻鹿，追！

悄悄跟上，尋找機會。

198

199

現在天下大亂，希望你們好好輔助吾弟，共圖大事。

孫策把謀臣戰將召到病牀前。

因箭頭有毒，孫策箭傷越來越重。

母親，你要好好教育弟弟……

要記住父兄創業艱難，好好守住它，不可疏忽。

只怕他年紀太輕，擔不起重任，怎麼辦？

當夜，孫策病情惡化，死時年僅二十六歲。

大弟才能勝我十倍，足以勝任。內事不決，可問張昭，外事不決，可問周瑜。

我一定盡心竭力，報答知己。

吳太夫人把孫策遺囑轉告周瑜。

周瑜得到消息，急忙從防地趕來奔喪。

我繼承父兄的大業，怎樣才能守住它呢？

201

要鞏固基業，一定要任用賢能。

周瑜向孫權推薦了魯肅，孫權十分高興。

魯肅博學多才，有遠見卓識。孫權經常和魯肅徹夜長談。

目前，我怎麼做最好？

先勦除黃祖，再進伐劉表，據長江天險，在江東立國稱王！

好極了，就這麼幹！

魯肅又把諸葛瑾推薦給孫權，孫權拜為上賓。

曹操聽說孫策已死，派張紘回江東，封孫權為將軍，兼領會稽太守。

孫權善用賢能，威震江東，逐步奠定了鼎立江東的基礎。